Antje Sabine Naegeli
Zärtlichkeit ist ein Stück Himmel

Antje Sabine Naegeli

Zärtlichkeit
ist ein Stück Himmel

SKV-EDITION

Eine Welt zu denken wagen,
in der die wunderbare Kraft der Zärtlichkeit
neu erfahren werden darf,
zu träumen von einer Welt,
in der »Heartbuilding« mehr
zählt als Bodybuilding,
wer sollte uns solche Träume verwehren können?
Beginnt nicht alle Wandlung mit Träumen?

St. Gallen, im August 1999
Antje Sabine Naegeli

Zärtlichkeit – Ursprache des menschlichen Herzens.
Wie viel Kraft wohnt ihr inne:
Sie kann beheimaten und bergen,
Angst besänftigen,
Verlassenheit mildern, Mut wachsen lassen,
Selbstachtung ermöglichen.
Zärtlichkeit kann heilen, Versteinertes lösen,
Gefährdetes schützen, Lust am Leben wecken.
Zärtlichkeit ist ein Stück Himmel.

Zu den menschlichen Nöten unserer Zeit gehört die Sprachlosigkeit der Seele, die zunehmende Verödung unserer Gefühlswelt.
Nichts und niemanden mehr ans Herz nehmen können aber bedeutet Verkümmerung und Tod.
Es ist lebenswichtig für unser menschliches Dasein und für die ganze Schöpfung, dass wir die Kraft der Zärtlichkeit wieder entdecken.

Jeder Mensch, ob er sich dessen bewusst ist oder nicht, hat ein angeborenes Verlangen nach zärtlicher Berührung.

Nichts kann uns so sehr in innere Harmonie bringen, nichts kann so viel Energie in uns freisetzen wie die Zärtlichkeit.

Unser ganzer Mensch bedarf ihrer.

Deine Hand
auf meiner Hand
dein Blick
der mich
behutsam wärmt
Lichtspur
die mir
den Tag erhellt

Zärtlichkeit ist etwas anderes als ein vordergründiges „Seid nett zueinander!"
Sie ist einem kostbaren Instrument vergleichbar, das zu spielen schöpferisches Tun bedeutet.
Mit diesem Instrument müssen wir umgehen lernen, es zum Klingen bringen, die Saiten so spannen, dass sie zu schwingen beginnen, wenn sie berührt werden.

Wer Zärtlichkeit erfahren hat, ist ein reicher Mensch, denn nichts auf der Welt kann uns auf tiefere Weise beschenken als dieses liebevolle, achtsame Berührtwerden. Die Kosenamen, die uns die Großmutter schenkte oder ein anderer Mensch, der uns zugetan war – wie lange Jahre hindurch können sie uns begleiten und wärmen. Der verstehende Blick, die Hand auf unserer Schulter in einem Augenblick der Unsicherheit und des Sichängstigens, wie viel Halt kann uns selbst aus der Erinnerung daran zuwachsen.

Noch warm
deine Worte
noch unverwelkt
Ich lege sie
nachts
auf mein Herz

Unsere Haut ist über und über mit Sinneszellen ausgestattet – angelegt auf Berührung.
Sichmitteilen über die zärtliche Berührung ist die innigste Form der Begegnung, deren wir fähig sind. Innigkeit entsteht dann, wenn körperliche Nähe zum Ausdruck bringt, was in der Seele geschieht.

21

Zärtlichkeit ist eine Form liebevollen Wahrnehmens. Sie ist ihrem Wesen nach absichtslos, will nicht einem Ziel oder Zweck dienen, sondern antworten.

Ich bin zärtlich mit dir, das heißt: Ich lasse es zu, dass durch dich etwas bewegt wird in Herz und Gemüt. Ich lasse es zu, dass du das Weiche und Empfindsame in mir zum Klingen bringst. Was zu dir kommt, ist der Widerhall dessen, was du anrührst in mir.

Wie zärtlich der Wind
den Blütenstrauch
wiegt
Wie wünschte ich mir
dass du
Windarme hast

Sie lief als Kind mit einem krummen Rücken herum. Heute noch, da sie die Lebensmitte bereits überschritten hat, spürt sie, sich erinnernd, den Schlag zwischen die Schulterblätter, den ihr die Mutter zuweilen gab, das vorwurfsvolle „Geh doch gerade!"
Hätte sie ihr doch stattdessen zärtlich über den Rücken gestrichen. Wie viel Aufrichtekraft hätte geweckt werden können.

Zärtlichkeit geschieht nicht nur über das unmittelbare Berühren. Nicht nur Mund und Wangen, Arme und Hände können Zärtlichkeit schenken. Sie kann in unserer Stimme zum Klingen kommen, unseren Blick erfüllen, sichtbar werden in Geduld und Achtsamkeit. Wer der Sprache der Zärtlichkeit fähig ist, weiß vielerlei Wege zu umarmen, ein leises Lied herüberwehen zu lassen von Seele zu Seele.

Viele Menschen haben von früh an darben müssen, sind in ihrem Bedürfnis nach zärtlicher Wahrnehmung nicht gestillt worden. Manche suchen ein Leben lang vergeblich danach.

Wie viel verhängnisvolle Abhängigkeit kann daraus entstehen. Was nehmen Menschen und vor allem Frauen nicht alles in Kauf auf der Suche nach Zärtlichkeit. Erst wenn es gelingt, die helfenden und heilenden Kräfte in uns selber zu entdecken, bekommen wir Boden unter unsere Füße. Es ist – meistens mit Hilfe von außen – trotz allem möglich, Mütterlichkeit und Väterlichkeit zu entwickeln.

Zärtlichkeit findet ihren Raum auch im Umgang mit mir selber. Wenn ich achtsam und liebevoll mit mir umgehen lerne, meine Innenwelt mit ihren Impulsen ernst und wichtig nehme, dann trage ich dazu bei, mein Leben und Leben überhaupt als wertvoll zu erfahren.

Ich werde sensibel für andere und bin weniger gefährdet, unersättlich zu werden im Verlangen nach Zuwendung.

Es ist nicht leicht, die zärtlichen Kräfte in uns zu entwickeln, wenn wir über lange Zeit in einem Umfeld seelischer Unterkühlung haben leben müssen. Und doch weiß unser innerer Mensch, was ihm fehlt. Manchmal gelingt es, bei einem anderen »in die Lehre zu gehen«, der die Sprache des Herzens zu sprechen vermag. Immer wird es darum gehen, in uns hineinzuhören, sensibel zu werden für die feinen Töne in uns.

Sehr viele Menschen denken im Hinblick auf das Thema Zärtlichkeit vor allem an das, was sie für sich ersehnen. Ich bin mir nicht sicher, was beglückender ist, Zärtlichkeit geben zu können oder sie empfangen zu dürfen. Beides ist von unendlicher Kostbarkeit.

Zärtlichkeit drückt sich aus in Zeichen. Vor einiger Zeit war ich zu Besuch bei einem alten Ehepaar. Von einem Spaziergang durch die Felder kam der Mann zurück und zog beim Hereinkommen ein kleines Sträußchen Wiesenblumen aus der Brusttasche seines Jacketts, das er seiner Frau mit warmem Blick überreichte: »Für dich!«

Und dies nach mehr als vierzig Jahren Ehe.

Ich weiß, solche Erfahrungen sind selten. Manchmal ist so viel Unheilvolles geschehen, dass Zärtlichkeit gerade dort, wo sie am nötigsten wäre, nicht mehr möglich ist. Und doch gibt es für jeden von uns Orte, Menschen, die Raum geben für eine liebevolle Geste.

Wir verbinden Zärtlichkeit zumeist mit einem Geschehen zwischen Ich und Du. Es gibt jedoch auch eine Zärtlichkeit jenseits des Zwischenmenschlichen. Die Art und Weise etwa, wie ich etwas in die Hand nehme, dessen Wert sich meinem inneren Menschen erschlossen hat, kann von Zärtlichkeit durchdrungen sein. Zärtlich bin ich den Dingen gegenüber, wenn ich ihren Geschenkcharakter erkenne, mich berühren lasse von Formen, Farben und Düften.

Einen alten Gärtner sah ich, der selbstversunken mit seinen Händen die Blüte einer Rose umfing und, sich herunterbeugend, sie mit den Lippen berührte. Voller Zartheit war diese Gebärde. Welch reicher Mensch!

Wenn unsere Sinne wach sind, begegnen wir auch in der Natur mit ihren so verschiedenen Gesichtern den Spuren einer zärtlichen Kraft: das Wasser der Quelle, das über unsere Hände läuft, die Frühlingssonne, die uns sanft wärmt, das weiche Gras, das zum Ausruhen einlädt. Und all die vielen Blüten, die sich öffnen: Es will mir scheinen, als seien sie nichts anderes als eine Symphonie der Zärtlichkeit.

Es ist die Zärtlichkeit, der ich begegne, wenn sich die feuchte, kühle Schnauze meines Hundes in meine Hand schmiegt. Die flaumige Feder, die der Wind unerwartet vor meine Füße weht, ist ein Gruß der Zärtlichkeit an mich.

Alle wirkliche Zärtlichkeit macht uns zu Hoffenden.
Muss es nicht einen letzten Ursprung alles Zärtlichen
geben, eine Kraft, der wir unser Vermögen, zärtlich
sein zu können, verdanken?
Ob es nicht sein könnte, dass unsere Erfahrungen ein
Hinweis sind, ein Abglanz einer viel größeren, umfas-
senderen Zärtlichkeit, einer Urheimat, in die wir
gehören?

Bildnachweis:
Umschlagfoto der Standardausgabe: Ch. Palma
Innenteil: S. 7: J.-Th. Titz/TIPHO; S. 9: H. Mutschler-Thamm; S. 11, 47: W. Rauch;
S. 13: P. Kleff; S. 15: K. Radtke; S. 17: Schneider/Will; S. 19, 25: Ch. Palma; S. 21:
H. Baumann; S. 23: W. Matheisl; S. 27: W. Zimmermann; S. 29: S. Grieger;
S. 31: U.-J. Schönlein; S. 33: Int. Stock/IFA-Bilderteam; S. 35: H.-J. Sittig; S. 37:
H. + B. Dietz; S. 39: B. Kottal; S. 41: R. Bruckner; S. 43: N. Kustos; S. 45: P. Santor

Die Deutsche Bibliothek – CIP-Einheitsaufnahme

Zärtlichkeit ist ein Stück Himmel / Antje Sabine Naegeli. – 2.Aufl. – Lahr : SKV-Ed., 2000
   (SKV-Bild-Text-Band ; 92681)
   ISBN 3-8256-2681-4

SKV-Bild-Text-Band 92 681 (Standardausgabe), 992 681 (bibliophil)
2. Auflage
© 2000 by SKV-EDITION, Lahr/Schwarzwald
Gesamtherstellung: St.-Johannis-Druckerei, Lahr/Schwarzwald
Printed in Germany   107513/2000